¿QUÉ SON LOS MAMÍFEROS?

Foca

La foca común es pequeña; los machos miden entre 1.3 y 1.9 m y alcanzan un peso de unos 100 k.
Habita en las regiones costeras o en los polos, en gran parte de la Tierra, exceptuando las zonas tropicales.
Su periodo de gestación es de diez meses y medio a once meses, dan a luz en la tierra y tiene una sola cría.
Se alimenta de peces, calamares y pulpos. A veces, los más jóvenes, complementan su dieta con crustáceos.

Lobo marino

Sus características le permiten salir a la tierra para procrear.
Al igual que sus familiares el elefante marino, la morsa y la foca, tiene cuatro patas convertidas en aletas.
Al adaptarse al entorno marino, aprendió como cerrar sus fosas nasales para que no le entrara agua a los pulmones por esta vía.
Su piel, cubierta de pelo, es termo ajustable de manera que está caliente dentro del agua y fresco fuera de ella.

Delfín

Se clasifica en especies, de acuerdo con su tamaño, color de piel o forma de la cabeza.
Puede alcanzar velocidades de hasta 45 km/h nadando.
Nunca duerme. Descansa disminuyendo su actividad, flota dejando que sobresalga su respiradero.
Utiliza las ondas de sonido para captar el tamaño, forma, textura y densidad de los objetos a partir de los ecos que percibe.

Son vertebrados de sangre caliente que necesitan de la leche materna para crecer y desarrollarse, de ahí su nombre pues deben recibir un prolongado cuidado durante la infancia por parte de su madre y a veces también de su padre.

En la actualidad existen más de cuatro mil especies de mamíferos, cuyo tamaño y características físicas varían enormemente.

En este libro conocerás a muchos tipos de ellos y también a aquellas cosas que los hacen únicos. Desde los acuáticos hasta los curiosos marsupiales, verás como todos tienen cosas en común al mismo tiempo que son muy diferentes entre sí.

¡No esperes más,
ponte tus gafas 3D y a divertirte!

Manatí

Habita en la desembocadura
ríos, procurando encontrar lug
tancados y tranquilos.
Es el único mamífero marino
tamente herbívoro. Su aliment
pal son las hierbas marinas y
acuáticas.
De adulto llega a medir hasta 3
de largo y a pesar cerca de 50
Su expectativa de vida puede
los 60 años, pero usualmente
brepasa los 25 años.

Marsopa

Es un pequeño cetáceo, familiar de las ballenas y los delfines.
Se alimenta principalmente de pequeños peces como arenques, merluza,lanzones, salmones y bacalaos.
Sus principales depredadores son las orcas y los tiburones, ya que son una presa fácil.
Pueden llegar a medir un metro y medio, y alcanzan un peso de hasta 75 kg.

gueras excavadas por sí
uidas como un sistema de
uchas cámaras.
muy hambriento, puede
a la mitad de su peso en

as están hechas para ex-
su forma y el hecho de
tremidades cortas.
principalmente en su sen-
posee vibrisas en su ca-
es y cola.

Murciélago

Sus alas son extensiones de piel sujetadas por sus patas anteriores.
Utilizan la ecolocalización, es decir que emite ultrasonidos por su boca o nariz, estos rebotan en los objetos y se devuelven proporcionándole información sobre distancias, tamaños, etc.
En el mundo existen unas 1,000 especies de murciélagos, siendo, después de los ratones, el grupo de mamíferos más diverso.

CURIOSOS

Erizo

Están cubiertos de púas, que en realidad son pelos huecos repletos de queratina lo que hace que sean rígidos.
Estas espinas no son venenosas ni se desprenden con facilidad.
Cuando se ve amenazado, el erizo puede hacerse una bola de púas, evitando así que su enemigo lo toque.
Tiene 5 dedos con uñas largas en las extremidades traseras, mientras que en las delanteras tiene 5 dedos con uñas cortas debido a sus costumbres excavadoras.

Topo

Vive en madr
mismo, constr
túneles con m
Es un animal
consumir hast
comida.
Sus cuatro pa
cavar, por esc
que tengan ex
El topo confía
tido del tacto y
ra, extremidac

de los
ares es-

comple-
principlantas

metros
kg.
llegar a
no so-

Morsa

Existen tres tipos de morsas y se estima que la población mundial se encuentra alrededor de los 250.000 ejemplares.

Su piel es muy gruesa, puede alcanzar los 4 cm de espesor. Su pelaje cambia de color con la temperatura, en el agua fría es gris pálido y en aguas templadas es casi rosado.

Se alimenta principalmente de almejas y otros moluscos.

Yak

Dada su costumbre a climas intempestivos, este animal puede mantenerse en alturas elevadas, a diferencia de otros animales.

Los yak salvajes son animales muy violentos y desconfiados. Tienen cuernos que pueden alcanzar los 90 cm de longitud y que no dudarán en emplear como defensa si se ven amenazados.

El yak se alimenta de plantas bajas y carecen de depredadores, aunque a veces pueden ser atacados por los osos.

Es un marsupial originario de Centroamérica y Sudamérica adaptado a la vida acuática.
Al capturar peces, ranas y crustáceos se abre hacia atrás para que su bolsa quede cerrada al sumergirse en el agua.
Es el único marsupial cuyos dos sexos tienen una bolsa.
Vive en madrigueras y sale en la noche para buscar sus sustento.

Demonio de Tasmania
Es el marsupial carnívoro más grande que existe, a pesar de tener el tamaño de un perro pequeño.
Por lo general es solitario, pero si hay suficiente comida se le puede ver en grupos.
Se distingue, entre otras cosas, por su desagradable olor ligado al estrés y por su grito fuerte y molesto.

Pecarí

Son familiares de los camellos, pero se diferencian de estos porque no tienen joroba y son de mayor tamaño.
Habitan solo en América del Sur, con poblaciones en todo el oeste de Argentina y Bolivia y gran parte de Chile, Paraguay y Perú.
Al atacar se abalanzan hacia el costado de su oponente, le muerden las patas, el cuello y la garganta y presionan, a la vez, el cuello hacia abajo.

PRIMATES

Lémur catta

Habita en Madagascar y se mantiene activo únicamente durante el día, en las horas en las que haya sol.
Es uno de los primates que utiliza más vocalizaciones para comunicarse con su grupo.
Puede organizar secuencias, comprender operaciones aritméticas básicas y seleccionar instrumentos basándose en sus propiedades.

Okapi

Tiene cuerpo corto y compacto, con el dorso descendente como el de la jirafa, pero con cuello mucho más corto. Sus muslos y nalgas tienen marcas rayadas blancas y negras.

Durante el día se retiran a la espesura de la selva y duermen de pie generalmente. Si se echan, apoyan la cabeza sobre una rama gruesa o un tronco caído.

Además del hombre, su otro predador fuerte es el leopardo.

Gato Sphynx

Es un gato un poco diferente, que aparenta la carencia de pelo y tiene un aspecto rechoncho. Sí tiene pelo solo que este es como un vello muy fino y corto casi imperceptible a la vista. Fue la primera raza sin pelaje aparente reconocida. Actualmente son tres las razas de gatos pelados o que parecen no tener pelo, que son reconocidas o están en alguna etapa de serlo.

Fenec

Es una diminuta especie de zorro que habita en el Sahara y en Arabia, tan solo mide 40 cm de largo, de los cuales 25 corresponden a su cola. Se alimenta de insectos, reptiles, roedores, aves y huevos y complementa su dieta con frutos como dátiles y bayas.

Durante el día se esconde en su madriguera que puede tener hasta 10 m de profundidad para protegerse del sol y del calor.

Orangután

Tiene brazos largos y pelo rojizo, a veces marrón. En posición vertical puede alcanzar los 2 m de altura y los machos pueden llegar pesar más de 120 kg.

Es supremamente inteligente, sabe utilizar herramientas para alimentarse y además es amigable.

Su alimento preferido es la fruta, a tal punto que puede recordar en dónde y qué tipo de fruta crece en ciertos lugares y regresar allí cada vez que así lo necesite.

ESPECIALES

Hurón

Pasa entre 14 y 18 horas al día durmiendo, pero cuando está despierto es muy activo y se dedica a explorar a su alrededor.
Es muy sociable, le encanta jugar con otros hurones y dormir con ellos, uno encima de otro.
Es una excelente mascota y puede llegar a ser entrenado como los gatos para utilizar la arenera, pues también es muy inteligente.

Tamarino

Vive en grupos familiares de 3 a 13 individuos, que se pueden unir a otros y conformar grupos de hasta 20 monos.
Su cuerpo es bastante pequeño, desde la cabeza hasta la cola rara vez sobrepasa los 37 cm, y su peso es de 500 gramos.
Su pelaje puede cambiar con la humedad, de manera que este crece más durante la temporada de lluvias y deja de crecer en las épocas secas.

Chimpancé

Gracias a su agilidad y a sus dedos oponibles, no solo trepa rápidamente a los árboles sino que además puede sostener una rama mientras coge una fruta.
Al desplazarse en cuatro patas, apoya las suelas de los pies y los nudillos de las manos, así no solo camina, sino que dado el caso puede galopar con rapidez.
Consume todo tipo de alimentos y necesita una dieta muy variada que incluye frutos, hojas, capullos florales, cortezas, resina, miel, insectos, huevos y carne.

Gibón

Es un animal social y territorial que conforma grupos pequeños de cuatro individuos en promedio, formados por una pareja monógama y sus hijos.

Por ser tan territorial, cuando siente que este núcleo puede estar amenazado emite ruidos característicos a modo de advertencia contra el intruso.

Tiene una gran predilección por las frutas, especialmente aquellas que sean pequeñas y que tengan altos contenidos de azúcar.

Koala

Su dentadura está adaptada a su dieta herbívora por lo que sus incisivos son muy afilados y sirven para cortar las hojas.
Con el fin de ahorrar energías, duerme hasta 20 horas del día en los árboles, en donde vive ya que es torpe en la tierra.
Tiene una amplia variedad de sonidos que le permiten comunicarse a grandes distancias. Tanto las hembras como los machos gritan cuando tienen miedo.

TIERNOS

Cobayo

Vive en áreas abiertas y utiliza hoyos y madrigueras para protegerse de sus predadores. Es herbívoro, por lo que necesita grandes cantidades de fibra. No sintetizan la vitamina C. También se conoce como conejillo de Indias, pues es utilizado en muchas investigaciones científicas.

Conejo

Dispersa el calor por su cuerpo a través de los pabellones auriculares, lo cual es muy importante ya que no tiene glándulas sudoríparas. Es considerado como un animal mudo pues sus cuerdas vocales son muy rudimentarias. Su olfato es mucho más importante que su vista, pues gracias a este puede distinguir entre las personas familiares y las desconocidas, al igual que entre los animales de su camada y los que no lo son.

Ualabí
(del inglés wallaby)

Es el nombre vulgar de cualquiera de las especies de marsupiales diprotodontos de la familia Macropodidae que no es lo suficientemente grande para ser considerado un canguro. Por lo tanto no es una clasificación científica. Hay aproximadamente treinta especies denominadas ualabíes.

Rata

Es un roedor de mediano tamaño, alcanza máximo los 30 centímetros de largo, aunque su cola puede llegar a medir lo mismo.
Come de todo, es omnívora por lo que no tiene problemas para encontrar alimentos, ya sea en el campo o en la ciudad.
Es muy ágil, puede trepar rápidamente, así sean paredes muy lisas, nada muy bien y puede saltar fácilmente.

Perro

Su olfato es más potente que el del humano y su oído es capaz de percibir sonidos por debajo y por encima del rango que oyen los humanos.
Es muy inteligente y dada su naturaleza sociable aprende rápidamente cómo comportarse con otros miembros del grupo, ya sean perros o humanos.
Su visión no es muy detallista, pero tienen una excelente percepción de movimientos.

Oso panda

Su piel es gruesa y tosca, se compone de una capa gruesa exterior y de un pelaje denso que lo protege del clima húmedo.
Dentro de los rasgos más distintivos del panda están: su gran tamaño y su cara redonda, que son adaptaciones resultado de su dieta de bambú, pues antes era carnívoro.

© 2012 DCL
© 2012 DCL
© 2012 DCL
© 2012 DCL
© 2012 DCL
© 2012 DCL
© 2012 DCL
© 2012 DCL
© 2012 DCL
© 2012 DCL
© 2012 DCL
© 2012 DCL
© 2012 DCL
© 2012 DCL
© 2012 DCL
© 2012 DCL
© 2012 DCL
© 2012 DCL

ANIMAL PLANET™
© 2012 DCL
© 2012 DCL
© 2012 DCL
© 2012 DCL
© 2012 DCL
© 2012 DCL
© 2012 DCL
© 2012 DCL
© 2012 DCL
© 2012 DCL
© 2012 DCL
© 2012 DCL